風に吹かれて
命尽きるまで

はじめの言葉

　私達の生活は、あまりにも余裕を失っています。毎日が忙しく過ぎて行くのです。

　「忙しい」という漢字は、心を亡くすと書くのですが、忙しさの中にあって、自分の心を見失ってしまうのでしょう。

　人間と自然との結びつきは、人類の歴史が始まって以来、切り離して考えることはできなかったのです。日々の生活の中に、自然との関わりが必要なのではないでしょうか。

　私は、退職してから暫くの間、どうしようもない違和感を感じておりました。自分が世の中から必要がなくなったように感じたのでした。昼間、街中を歩いている自分が、違う自分であるように思えたのでした。

　この世に生を得て、必要のない人なんて、いません。一人一人が、可能性を秘めた存在です。社会の側に、どんな人に対しても余裕を持って受け止めてくれる包容力を、用意する必要があるのではないかと思っております。

　これからの時代は、仕事と私的生活が、もっと豊かになってほしいと思います。

　特に、仕事とは別の生活の中に、自然と触れ合う時間が当たり前に持てるようになるとよいなと思っております。

　スペインでは、週4日32時間労働制が、政府主導で検討されています。「より多く働くことは、より良く働くことを意味しない」「本当の意味での労働時間短縮であり、給与削減や雇用の喪失ではない」とし、「労働者の健康と生産性の向上、環境への影響も削減できる」との与党と政府との合意を基に、専門家を交えて実験・検討をすすめているのです。既に週4日労働制を導入しているデルソル社では、「欠勤が減り、労働生産性は上がり、労働者はより幸せになった」と、好評とのことです。

　週4日労働、週休3日制の検討・論議は、フィンランドやドイツなどでも推められています。フィンランドのマリン首相は、労働時間短縮で労働生産性が上昇する結果を踏まえ、「6時間労働に対して7～8時間分の賃金を支払うことは可能だ」と述べています。

　本書、詩的エッセー35は、「風に吹かれて1～25編」「命尽きるまで1～10編」で構成されております。「風

に吹かれて」「命尽きるまで」と、便宜上分けて掲載されておりますが、私の身近な自然や生活との関わりを文章にしたものです。最近経験した事をもとに、感じたこと考えたことを素直な気持ちで文章にしてみました。子育てしていた頃のことを想い出して、文章に起こしたものもあります。

それから、私は小さい頃から歌が好きでした。歌を聴くのも唄うのも好きでした。経験した事を、歌との関わりの中で文章に起こしたのは、自然の流れでした。

いずれにしても、身近な生活の中にあって、仕事と切り離した時間を作って、過ごした貴重な経験があったことは確かです。

これら一つひとつの経験が、とても貴重なものであったと、確信を持って言えます。

実際の経験をもとに、素直な気持ちで文章を書くように努めてみましたが、私自身の想いが強く出てしまったところもあるかもしれません。

読者のみなさんが、ご自分の仕事や生活の中で、ご自分に合ったやり方で、自然との関わりが持てると良いなと思っております。

クワイ
西の広島県（1位）、東の埼玉県（2位）、
2県で国内生産量の約87％を生産しています。

3

風に吹かれて

1 どんぐりコロコロ

ドングリころころ　　どんぶりこ

おいけにはまって　さあたいへん

どじょうがでてきて　こんにちは

ぼっちゃんいっしょに　あそびましょ

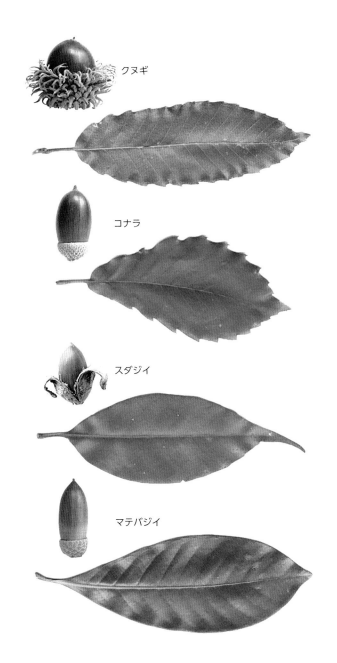

クヌギ

コナラ

スダジイ

マテバジイ

　これは、作詞・青木存義　作曲・梁田　貞の童謡『ドングリころころ』の歌の１番ですが、まちがって歌を覚えている人は、いませんか？

　「ドングリころころ　ドングリこ」と歌っている人はいませんか？「ドングリころころ　どんぶりこ」が正しいのです。

　小さな子供の姿が、目に浮かびます。

　子供のそばには、お母さんでしょうか？

　一緒に遊んでいる友だち、まだ小さな子供でしょうか？

　ドングリを拾って遊ぶ経験をしたことのある人には、親しみの持てる歌ですね。

　ドングリとドジョウの様子が見えるようです。ころころところがって池に落ちたドングリ。ドジョウが「一緒に遊びましょう」と、ドングリに話しかけているのです。

　優しい気持ちになる歌です。

イチイガシ

アラガシ

ツクバネガシ

ウバメガシ

シリブカガシ

街中からちょっと離れた公園などには、雑木林を生かしたような場所があります。雑木の中を廻るように、散歩コースができたりしています。

秋になると、道端にはドングリがたくさん落ちています。

子供の頃にコマを作って遊んだ、丸くて大き目のドングリは、クヌギの実です。

クヌギの実とコナラの実は、間違えることがあります。クヌギの実は丸くて大きくて、帽子の部分が反り返ってもじゃもじゃしています。コナラの実は、細長く大き目ですが、帽子の部分がお椀のようになっています。

食料の乏しかった頃などに、炒って食べたことのあるドングリは、椎の実です。

かしの木の実は、渋くて食べたくはありませんね。でも、食べる物がなかった頃には、アク抜きして、食べたそうですよ。

同じ椎の木でも、スダジイ、マテバジイなどの種類があります。一般的に食べる椎の実は、スダジイの実です。

椎の木に生えるキノコが、シイタケです。
松の木に生えるキノコが、マツタケです。

2 季節の花

立春の頃になると、空や地面には春の気配が感じられるようになります。ちょっと昔は、立春から数えて農作業の予定などを立てていたのです。『茶摘み』の歌にある「夏も近づく八十八夜」など、立春からの日数を数えていたのがわかります。

自然の移り変わりと生活とが、深く結び付いていたのです。それだけ、自然の変化に対して敏感な感覚を持ち合わせていたのでしょう。

春 春の訪れに咲くスイセン。
冷たい風の吹く時季なのに、
土を押しのけ、長い葉をのばし、
伸びた花茎の先端に蕾をつける。
黄色い花弁が、やがて開く。
枯れ葉を押しのけ咲く　福寿草。
早春の冷たい空気に負けないで咲くのだ
黄色い清々しい花を咲かせるのだ。
野山や道端には、たんぽぽやスミレの
花が咲いている。
「山路来て　何やらゆかし　すみれ草」
芭蕉の句が浮かびます。

水仙の花

福寿草

8

卯の花

夏　初夏になると、家の垣根には卯の花。
　そして、紫陽花の花。
　庭の池の端には、アヤメや菖蒲。
　神社・公園の池には、水蓮の花。
　民家の庭に夏椿。泰山木の白い花。
　泰山木は、大きく清らかな純白の花だ。
　真夏に咲く花、夾竹桃。
　炎天下に真っ赤な花を咲かせている。
　カンナ、ダリアは、農家の庭の片隅に
　忘れられたように咲いている。

水蓮の花

秋　秋といえば、曼珠沙華。

小川の土手、田んぼの畦道、

そして墓地。

鮮やかな赤い花。

燃える花火の花だ。

風に揺れてるコスモスの花。

野辺の道端に、野菊の花。

※1 「遠い山から吹いて来る　小寒い風に揺れながら　気高く
清く匂う花…」野菊を見ると、この歌を想い出します。

文部省唱歌『野菊』　作詞・石森　延男／作曲・下総　皖一

※2 「さざんか　さざんか　咲いた道
たき火だ　たき火だ　落ち葉たき…」

学校の教室からは、オルガンに合わせて唄う子供達の元気な
歌声が聞こえて来ました。それも、遠い想い出になりました。

『たき火』　作詞・巽　聖歌／作曲・渡辺　茂

冬 冬に咲く花、サザンカ^{※2}の花。
冷たい北風に　紅い花弁が揺れている。
家の窓辺に、鉢植えのシクラメン。
緑の葉と葉の間を突き抜ける赤紫の花。
差し込む日差しに　輝いている。

日本の季節を彩る花々は、人々の生活の営みと深い結び付きがあるように思われます。日常の生活に、自然と親しむ時間を、ちょっとだけでも持てるとよいですね。

3 樹木と花

　早春、梅の木は、白や薄いピンク色の花を咲かせます。

　寒い時期に花を咲かせ、辺り一帯は良い香りにつつまれます。

　やがて、梅雨の頃にたくさん実をつけます。

　柿の若葉は、やわらかく、春の日差しの中で緑色に輝いています。やがて、初夏にはクリーム色の花を咲かせ、花が落ちると実をつけます。秋には、お日様のようなオレンジ色の実になるのです。

　泰山木は、空へと向かって伸びています。
艶のある大きな緑の葉をつけて、葉の蔭から押し除けるように白い大輪を咲かせます。

　花の蕊から立ち昇る香気。清楚な花だ。
蓮の花を連想させます。

　夏みかんの木には、白い花が咲いています。花が散ると緑色の小さな実を付けます。夏の終わり頃には、実はすこしずつ大きくなり、秋から冬にかけて実はだいぶ大きくなります。やがて実は、黄色くなり、色も濃くなります。

　晩秋、夜遅くに帰って来た時など、暗闇にとても良い香りで迎えてくれる柊の花。

泰山木

12

辺り一帯にただよう花の香り。

節分にはイワシの頭と一緒に、魔除けとして玄関に飾る柊。

家の庭には、太い山桜があります。

田舎の山から採って来て植えたのです。下の息子が生まれる前に植えたので、幹回りは 30 センチメートル以上になり、毎年春には、赤味をさした若葉の間に隠れるように、白い可憐な花を咲かせます。

早春の山肌は、萌黄色というのでしょうか、優しく柔らかく、なんとも言えない温かさを感じます。そんな野山の山中に咲く山桜は、なんとも言えない美しさがあります。

夏ミカンの花

山桜

イワシの頭と柊

13

4 鳥

人間の生活に身近な鳥としては、スズメ（雀）やカラス（烏）が代表的でしょうか。

　我と来て　遊べや親の　ない雀

　雀の子　そこのけそこのけ　お馬が通る

これは、江戸時代の俳人・小林一茶の詠んだ句です。

小林一茶の弱いものに対する優しい心遣いが伝わってくる俳句です。

近頃、スズメは少なくなった気がします。

家の屋根などの造りが変わって、巣作りするのが難しいのでしょうか。

　からす　なぜなくの

　からすは　山に

　かわいい　七つの

　子があるからよ

　かわい　かわいと

　からすは　なくの

　かわい　かわいと

　なくんだよ

童謡『七つの子』は、野口雨情の作詞によるものです。時として嫌われものとされるカラスですが、雨情は、愛情と親しみを込めて親子の烏（カラス）を見つめているのです。

季節を告げる代表的な鳥は、まずウグイス（鶯）でしょうか。

　春は名のみの　風の寒さや

　谷の鶯　　歌は思えど

　時にあらずと　声も立てず

　時にあらずと　声も立てず

スズメ

吉丸一昌作詞による有名な『早春賦』の歌詞です。

早春の野山で、ウグイスはホーホケキョとまだ上手には鳴けないのですね。

でも、季節を告げる鳥といえば、ウグイスが思い浮かびます。

卯(ウ)の花の　匂う垣根に

時鳥(ホトトギス)　早も来鳴きて

忍び音もらす　夏は来ぬ

これは、作詞・佐々木信綱、作曲・小山作之助による童謡・唱歌　『夏は来ぬ』の歌の一番です。

卯の花は、初夏に咲く花です。庭の垣根や公園の植え込みなどに、ピンク色やえんじ色・白い色などの花を咲かせます。そして、初夏の里山の辺り一帯に響き渡る時鳥(ホトトギス)の鳴き声は、まさに夏の訪れを感じさせてくれます。

鳴き声が、「ホト　トギス　ホト　トギス」と聞こえてくるのです。鳴き声の特徴からホトトギスと名付けられたのかもしれません。

静かな野山に響き渡るようになく鳥としては、カッコウも代表的な鳥ですね。

卯の花

近頃はめっきり数が少なくなりましたが、鳴き声は遠くまで聞こえて来ます。

カッコウは、ほかの鳥の巣に卵を産みつけて自分では子育てしないそうですが、本当はどうなのでしょうか。

そういえば、ヨハン・エマヌエル・ヨナーソンが作曲した『かっこうワルツ』という曲がありましたね。

カッコウ

詩的エッセー35 風に吹かれて

5 鳥たち 虫たち と 私達

日本の国土に住んでいる私達は、四季の変化を生活の中に取り入れながら暮らしています。

忙しい日常にあっても、四季折々の変化を生活の中に取り入れて暮らしているのです。

春 桜の花が、満開に咲きました。
重たい枝が、ゆっくりと揺れています、
幸手　権現堂（ごんげんどう）の土手いっぱいに。
権現堂川に沿った畑は、
一面　菜の花畑です。
ミツバチが、羽音を響かせています。
モンシロチョウが、
たくさん　舞っています。
恋の季節を迎えたのでしょうか。
桜の花には、メジロやヒヨドリが
やって来て、蜜を吸っています。

夏 見沼田んぼを歩いていると、
稲の緑が濃い中に、白鷺（シラサギ）が見えます。
首を長くして、ゆっくりと歩みながら、
獲物を狙っています。
公園の中を歩いていると、
ホト　トギス　　ホト　トギス
と、鳴いている声が聞こえます。
テッペン　カケタカ
とも聞こえるそうです。
ホトトギスです。
コジュケイの鳴き声も聞こえます。
ベッチョクイ　　ベッチョクイ
と、面白い鳴き声です。

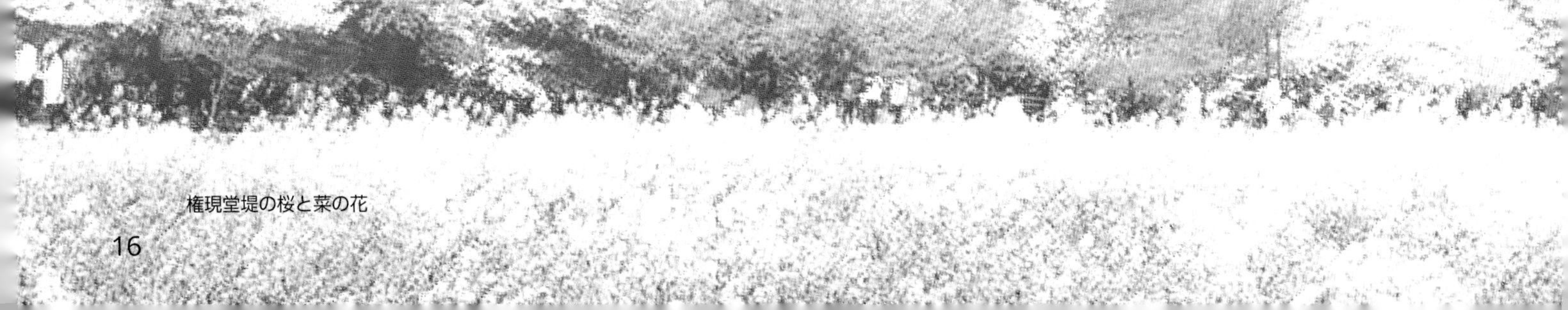

権現堂堤の桜と菜の花

秋　コオロギの鳴き声は、
　　秋の訪れを感じさせます。
　　スズムシの鳴き声は、
　　めっきり聞かれなくなりました。
　　メジロが柿の木にやって来て、
　　熟した柿の実をつついています。
　　ヒヨドリもやって来て、
　　柿の実をつついています。

冬　サザンカが咲き、
　　ツバキの花が咲く頃になると、
　　ヒヨドリがやって来て、
　　花の蜜を吸っています。
　　メジロの鳴き声も聞こえます。
　　どこかで、モズが、
　　ギー　ギーと鳴いています。

　季節の移ろいは、正直です。
冬の終わりの頃になると、もう春
の訪れの準備が始まっています。
春の気配は、空にも、大地にも、
水の流れにも感じられるのです。

見沼たんぼのシラサギ

コオロギ

メジロ

17

6 芝川の榎

芝川沿いの大きな榎(エノキ)。

見上げると、枝をひろげて、生きている力を感じます。

両の手で　太い幹を抱えて　耳を当ててみると、水が流れる音が聞こえるようです。

大人3人がかりでようやく抱えるような榎の大木。芽吹いた頃には、枝が目立っていました。

初夏になり、濃くなった緑の葉をどっさりと付けて、通り抜ける風が、枝をゆったりと重々しく揺すっています。

高さは10メートル近く、横の枝ぶりも10メートル程もある榎の大木。

隅々まで水が行き渡っているのでしょう。

この木一本だけで、水をどれだけ蓄えているのでしょうか。

榎の大木の中を、水がゴーゴーと流れているのが聞こえてくる気がします。

榎の枝をよく見ると、葉と葉の間に花を咲かせ、やがてたくさんの緑色の小さな実をつけます。

つがいのカモ

　たくさんの実の中には、種子が入っているのです。榎は、たくさんの種子をつけることにより、子孫を残すのです。

　芝川沿いの榎の巨木は、どの木も芝川の側に傾げています。

　枝も太くて、たくさんの葉を付けています。

　風が吹くと、葉を付けた枝が揺れています。

　吹き抜ける風の音が、聞こえます。

　芝川の水面には、つがいのカモが泳いでいます。水面下で水掻きしているのか、上手に泳いでいます。

　全身が黒っぽくて、水に潜って小魚などを獲るバンという小さな鳥もいます。

　空をゆったりと飛んで来て、水面に降り立つ大きな青鷺や川鵜もいます。

　青鷺や川鵜は、稲が青々と育った田んぼに見かけることが多くなりました。

　芝川の榎の大木は、芝川沿いの広々とした景色を眺めているのかもしれません。

7 川口自然公園

川口市北部の見沼田んぼと見沼代用水東縁（ひがしべり）沿いに、川口自然公園があります。公園の周りを廻る木の下の歩道や池の周りを歩いていると、「ベッチョクイ　ベッチョクイ」と鳴いている鳥がいます。コジュケイです。

コジュケイは、あまり姿をみせませんが、少し大きめな鳥です。飛ぶのもあまり上手ではありません。

「ホト　トギス　ホト　トギス」と辺り一帯に響き渡る声で啼いている鳥もいます。これは、ホトトギスです。最近は、ホトトギスの鳴き声を聞くことが少なくなりました。

不如帰、子規、時鳥、杜鵑などと、いくつもの漢字で表記されるホトトギスですが、それだけ人との距離が近かったのでしょう。

半夏生の群落

ホトトギスの鳴き声を聴くと、子規と漱石を想い出します。

子規は、肺の病で苦しみながらも、狭い部屋で、身動きも不自由な身体で、俳句の革新に挑んだ人でした。ホトトギスと自分とを重ねて考えて、俳号を子規としたのでしょう。

漱石が文部省派遣でロンドン留学したのは1900年から1902年でしたが、ロンドン留学中に子規は亡くなったのでした。

留学中に交わした手紙を読むと、二人の絆がいかに深かったかを教えてくれます。

漱石の書簡集にあります。

公園の中には、池もあります。池の周りには、釣り糸を垂らしている人がたくさんいます。　年金暮らしの人が多い気がします。

マブナ・ヘラブナ・タナゴなどが釣れるようです。タナゴ釣りは、短い仕掛けで糸を垂らしています。結構な数が釣れているようです。

大きめなマブナが釣り針にかかった時には、釣り糸がグイグイと引かれて竿がしなります。

小さな子供を連れた家族は、釣り糸にスルメイカなどを付けて、ザリガニを釣っています。網を手にして、小魚やエビなどを狙っている家族もいます。

こんな風景を、いつまでも残したいなと思います。

池で釣りをする人

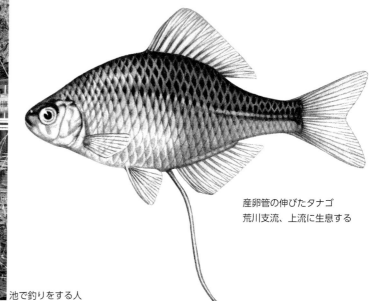

産卵管の伸びたタナゴ
荒川支流、上流に生息する

21

池の傍に、木の枝が突き出ています。望遠カメラを構えた人達がいます。カメラのレンズは、同じ方向を向いています。

一羽のカワセミが、枝に止まっているのです。翡翠(すい)の色をしたカワセミを写真におさめようと、カメラを向けているのです。

ちょっとくすんだ色をしたつがいらしいカワセミを見掛けることもあります。

夕方など、「ブォーンブォーン」と鳴いているのは、ウシガエル(食用ガエル)です。人が少なくなって静かになると、辺り一帯に響く声で鳴いています。

池の北側に、葦や菖蒲、ゼンマイ、榛(ハン)の木などの生えた湿地を巡るように、木道に模したコンクリートの道が出来ています。湿地全体を巡れるように道は出来ているのですが、湿地の一画に半夏生(ハンゲショウ)の群落があります。

半夏生は、文字通りに夏の植物なのだなと思います。よく見ると、初めの頃には緑色をしていた葉が、日を追うごとに白い部分が広がっていくのです。緑色をした葉が、白粉(おしろい)で化粧をするように、だんだんと白くなっていくのです。よくよく観ると、白粉をつけるように白く半化粧(はんげしょう)する葉は、上の方にある葉だけなのです。そこには、たくさんの小さな

実が集まったような花があるのです。

　もしかしたら、白粉で化粧をしたように見せてミツバチなどの昆虫を呼び集め、受粉を助けているのかもしれません。

　半夏生は、夏至を過ぎた頃に見頃を迎えます。6月下旬から7月半ば頃にかけて、白く半化粧した姿を見せてくれる半夏生です。

　羽田空港へと飛んで行くジャンボジェット機が、公園の近くの上空を、東から西へと飛んで行きます。

　やがて飛行機は、左旋回しながら、見えなくなるのです。

池のカワセミ

カワセミ

池とシラサギ

8 見沼代用水 と 見沼自然公園

今は見渡す限りの水田や畑となっている見沼田んぼも、かつては見沼溜井という大きな沼でした。川口市の木曽呂地区とさいたま市の附島地区との台地が狭くなった場所に、八丁堤を築いたのは、伊那氏でした。見沼溜井の築造は、1629年（寛永6年）のことでした。

この堤を築いたために、上尾市方面まで続く大きな沼ができたのでした。

徳川八代将軍吉宗は、この広大な見沼溜井を干拓して、田んぼに変えるように命じたのでした。

一緒に紀州から招き入れた土木事業の技術者集団の中心にいたのが、井澤弥惣兵衛為永でした。弥惣兵衛は、見沼を干拓して広大な田んぼを作り、見沼に代わる用水を利根川から引き入れたのでした。この用水は、見沼に代わる用水ということで、見沼代用水と名付けられたのでした。

見沼代用水は、途中まで一本の水路ですが、上尾市の瓦葺からは2本に分かれて、両側の台地に沿って流れて行くのです。台地と低地の境を流れていくので、台地の入り組んだ場所に合わせて複雑な曲線を描くように流れて、低地にある田んぼに細い水路から水がまんべんなく注がれるのです。そして、最後には、低地の中央を流れている芝川に落ちる仕組みになっているのです。こうして、見沼に替わる広大な新田が拓かれたのでした。

この事業は、農家の仕事が忙しくない、秋の取り入れの終わったあと、次の年の田植え前の期間という半年程の期間に、仕上げたとのことでした。

行田市の利根川取水堰から取り入れた見沼代用水の水路は、川口市まで続く約60キロメートルの用水路です。鍬や鋤、もっこなどの道具とたくさんの人足の力で、やり遂げたのでした。

見沼自然公園の池

井澤弥惣兵衛為永の像と見沼自然公園

ニシキギの花と葉

昼夜を通して工事は行われ、土地の高低差などを確かめるために、夜はカンテラの灯りを頼りとしたそうです。

土木事業の作業の拠点に置いたのが、現在のさいたま市片柳の萬年寺境内でした。この寺を訪ねると、事業の様子がわかる石碑などが、残っております。

さいたま市の野田のさぎ山付近を流れる見沼代用水東縁用水に沿って、西側に見沼自然公園があります。

見沼自然公園の芝生の北側一画に、銅像が建っています。井澤弥惣兵衛為永の銅像です。

芝生の南側には、広い池があります。

池には、たくさんの睡蓮が咲いています。

池の中には、大きな真鯉や緋鯉がたくさん泳いでいます。人が近付くと、たくさんの鯉が泳いで向かって来ます。鯉に餌をあげる人がいるので、覚えていて向かって来るのです。そんな中には、亀も混じっ

ているのです。

池を取り囲むように、歩道が出来ています。歩道の周りには、季節により桜が咲き、卯の花が咲き、オレンジ色のノウゼンカヅラの花が咲きます。珍しいハンカチの樹の花が咲き、やがて、ウリボウのような筋のある少し大き目な緑色の実を付けます。

秋になると、カミソリの刃のようなニシキギの葉が、紅くなります。萩の花が、たくさんの枝を垂らして咲いています。

秋が深まり、辺り一帯が紅葉に包まれると、池の水面は見事な景色を映し出します。

周りの景色や青空などを映し出して、二倍以上に美しく観えるのです。

ニシキギの紅葉

ハンカチの木

9 見沼代用水・芝川 と 見沼通船堀

竹林（孟宗竹）

　武蔵野線東浦和駅から電車を降りて、駅前通りを右に行き最初の交差点を左に折れて少し歩くと、見沼代用水西縁用水が北から南に流れています。用水の流れに沿って歩いて行くと、すぐに通船堀に辿り着きます。

　通船堀は、見沼田んぼの東西を南北に流れる２本の見沼代用水と芝川とを繋ぐ閘門式の運河です。芝川と見沼代用水との高低差が３メートル程あるので、低い場所を流れる芝川と東西の見沼代用水との間に２カ所（仮締切を含めると３カ所）ずつの水門を設けて、水位を調節しながら水門を開けて舟を通したのでした。芝川から東西の見沼代用水へ、見沼代用水から芝川へと舟を通過させる仕組みです。この運河が出来たことにより、米や野菜などを江戸へ、魚や肥料などを江戸から、舟を使って物資を運ぶことが出来るようになったのです。

　この通船堀の閘門式運河の仕組みは、南北アメリカ大陸の間にあるパナマ運河の仕組みと同じです。通船堀は、パナマ運河よりも 183 年程も前に造られているのです。

　芝川は、通船堀の流れに沿って東に歩いて行くと、650 メートル程で辿り着きます。

　芝川の対岸の左に少しずれた位置に、通船堀が続いています。対岸に廻って、芝川から見沼代用水東縁用水までは、390 メートル程で辿り着くことができ

ます。

　東西の見沼代用水に沿って、遊歩道が整備されています。芝川沿いは砂利道ですが、通船堀に沿っては、道が綺麗に整備されています。

　車も時々通り過ぎて行きますが、思索しながら歩くにも落ち着いていて、自然の変化も楽しむことができます。

　芝川に沿って、榎の大木が何本も枝を広げています。通船堀に沿っては、桜や槻（ケヤキ）の大木、そして、竹林が目を惹きます。

　竹林は、整備されていて、近在では珍しい空間を散策して楽しむことが出来ます。

　孟宗竹の竹林ですが、タケノコの伸びる時季などは、勢いを感じて嬉しくなります。

　竹落ち葉の時季も、微かな風にはらはらと散る落ち葉の景色には、風情があります。

　芝川沿いの榎（エノキ）の大木は、大きく枝を広げて力強さを感じさせます。

　東西の見沼代用水や通船堀沿いの桜が満開になる春の景色は、芝川沿いの菜の花と相まって見事です。桜の枝には、ピンクの花房。土手にはからし菜の黄色い花。春の風に揺れています。

　西縁用水沿いに続く満開の桜並木は、遠目には雲海が続いているように感じられます。

　こんな時には、『さくら』の歌詞が浮かんできます。

からし菜の花　　　見沼通船堀沿いの桜

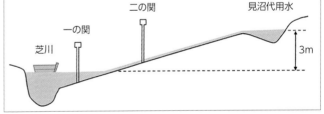

見沼通船堀の仕組み
（国指定史跡）案内板

10 見沼遊水池

夕日

見沼田んぼを東西に走る JR 武蔵野線。

この武蔵野線の電車が芝川を越える辺りの北側に、大きな遊水池が広がっています。これが、見沼遊水池です。

下流域や周辺に住む人々の生活を水害から守るために、洪水の恐れのある時に、芝川から流れ込む水をいったん溜め込んでおくのです。かつては、小さな池がいくつもあったのですが、今は一つの大きな遊水池にまとめてあるのです。遊水池には、たくさんのカモがいます。シラサギやアオサギ、川鵜（カワウ）などもいます。空高くには、トビやチュウヒが舞っています。

カシの樹の枝に、フクロウがじっと身動きしないで止まっていたこともあります。

遊水池の周りは、自然を残すようにして、公園になっています。葦（アシ）が生えていたり、クヌギやカシなどの樹木も植えられています。遊水池側の斜面になっている土手には、芝が植えられていたり、ツメクサが咲いたりしています。

近くには民家もなく、周囲を巡るように遊歩道が造られています。

遊水池の中には、小さな島がいくつもあり、水を湛えた時の景色は、遠くの山々や近在の建物なども映えて、なかなか良い眺めです。

遠く西の方角には、富士山が見えます。秩父や丹沢の山々が見えます。

北の方角には、日光連山が見えます。その中には、男体山も見えます。ちょっと左側に目を移すと、赤城山も見えます。

よく見ると、北西の方角遥か遠くに、私の故郷の山、笠山や堂平山も見えるのです。

ここ見沼遊水池の辺りは、関東周辺では、周囲360度の景色を見渡すことのできる数少ない場所の一つかもしれません。

太陽が西の空に沈む頃には、富士山や秩父・丹沢の山々は、茜色（あかねいろ）をした空に黒いシルエットとして目に映ります。太陽が山の端に差し掛かってから完全に沈むまで、眺めているのもいいものです。時間が経つにつれて、空は茜色から青味を帯びるようになり、やがて辺りの景色はだんだんと色を失っていくのです。

それでも、夕焼け空が辺り全体を染めることがあります。そんな時には、茜色に染まった空が富士山や秩父・丹沢の山々、そして、立っている自分の場所までも染めて、全体を茜色に染めてしまうのです。自分が自然の中にすっぽりと一体化している不思議な感覚になるのです。

辺りが茜色から深い紺色（こんいろ）に変わり、やがて色を失っていくまで立ち尽くしている自分がいるのです。

詩的エッセー35 命尽きるまで　11 小川町

笠山・堂平山・笹山

小川町は、私の故郷。

笠山・堂平山（どうだいらさん）・笹山は、毎日眺めた山だ。

堂平山の山頂には、東京大学の天文台があった。

笠山は、中学卒業後の春休みに、雪中登山した山だ。

高見ケ原古戦場近くの四津山（よつやま）。

毎年4月24日に祭りがあった想い出深い山だ。

わらび採り、メジロ捕りなどして遊んだ山だ。

故郷の山は、変わらずに私を迎えてくれる。

東武東上線とJR八高線、

二つの鉄道が交わる小川町駅。

東上線は、池袋駅と寄居駅を結ぶ線路だ。

八高線は、八王子駅と高崎駅を結ぶ線路だ。

小川町は、池袋駅からは1時間ほどの町だ。

武蔵の国の小京都といわれた小川町。

小川町は、

小高い山に囲まれた小さな盆地にできた街だ。

日本100景の一つとされた武蔵嵐山の隣の町だ。

7月末には、祇園祭りがあった。

8月7日前後の3日間程、

七夕祭りもあった。

街中の通りを、人並みが埋めた。

背景・小川町駅

夜には、夜店もあって、

たくさんの浴衣姿の客達で、

さらに賑やかになった。

花火が昼間から上がり、

夜には大輪の花が夜空にひろがった。

観客のどよめきが聞こえた。

1931年（昭和6年）に、

寄居町（よりい）付近を震源に起きた西埼玉地震。

町の南東部にそびえる仙元山（せんげんやま）は、当時の名残で、

北側が大きく陥没している。

町を取り巻く山が削られ、団地ができ、

駅の近くにはマンションが建った。

街中を西から東へと流れる槻川（つきがわ）。

清らかな槻川の流れが、地酒や和紙を産んだ。

武蔵鶴・帝松・晴雲・力石の地酒醸造所。

江戸・東京を大消費地として栄えた細川紙。

槻川の流れは、下小川地区から遠山地区、

そして、嵐山渓谷へと続いている。

遠山地区には、母の実家がある。

私は、小川町から嵐山方面へと続く

この道を車で走るのが好きだ。

12 武蔵嵐山と遠山地区

遠山地区は、嵐山渓谷の中にあります。

遠山氏が城主であった小倉城。小倉城をはさんで北側に菩提寺・遠山寺、南側に大福寺。

大福寺は、小倉城主・遠山光影氏の夫人に縁のある寺とのことです。

小倉城のある山裾を、槻川が西から東へと流れています。

遠山地区を槻川とほぼ平行に東西にのびている一本の細い道。

周囲を囲む　高さ百メートル程の山々。

遠山地区は、小さな盆地の中にあります。

槻川の流れが、長い年月の間に、嵐山渓谷を造ったのでしょう。

嵐山渓谷は、日本一広い関東平野へと続く出口でもあります。

嵐山町には、源頼朝の側近として鎌倉幕府を支えた畠山重忠の館跡があります。それが、菅谷舘址です。

複雑な土塁を廻らせた杉山城もあります。

杉山城は、鎌倉街道を北へと向かえば鉢形城へと続く、街道の道沿いにあります。

鎌倉街道を南へと向かえば、鎌倉まで続いていたのでしょう。

鎌倉街道は、北から南へと続いています。

畠山重忠は、旧川本町、現在の深谷市の畠山で生

菅谷館趾の畠山重忠公の像

小川町を流れる槻川。遠山地区、嵐山渓谷へと続く

まれ、その後、菅谷に館を移しました。その跡が、
菅谷館趾です。

　重忠は、源頼朝の重臣でした。

　鎌倉市鶴岡八幡宮の池の東側に、畠山重忠の屋敷
跡が、今でも残っております。

　武蔵嵐山駅という東武東上線の駅がありますが、武
蔵嵐山は武蔵の国の嵐山といわれていたのです。大
正から昭和の初期の頃には、観光地として知られ、昭
和の初め、庄田友彦氏により料亭松月楼が創建されて
います。1957年（昭和32年）には、「週刊読売」誌の主
催による8か月に及ぶ投票で新日本百景の第41位に
入選しているのです。

　武蔵嵐山は、東京から程良い距離にある観光地で
もあったのです。四季の自然の変化が美しい、観光
地でもあったのです。

嵐山渓谷

嵐山渓谷 遠山寺
（遠山氏の菩提寺）

小倉城跡

31

13 吉見の里

埼玉県吉見町。吉見といえば、百穴。

かつては、コロポックル人の住居ではないかと言われたこともありますが、今では、古墳時代後期の集団古墳が定説になっています。

南方の低地を見下ろす場所にある吉見百穴は、富士山や浅間山などの噴火による火山灰が積もり固まってできた凝灰岩を掘って作った古墳なのです。山肌一帯を掘って作った、200基以上もの古墳。集団墳です。

吉見百穴から北東方面に数キロメートル程の所には、黒岩古墳群といわれる古墳群があります。すぐ近くには、八丁湖というため池があります。八丁は広さの単位で、およそ8ヘクタール程の広さのため池です。

八丁湖の水を田んぼに引いて、稲作をし、お米を収穫したのでしょう。

八丁湖周辺は、丘陵地が広がっており、静かな場所です。自然が豊かで、四季の変化を楽しむことが出来ます。湖面には、たくさんのカモなどの水鳥。20メートル足らずの小高い山々からは、季節によりウグイスやヒヨドリ・メジロ・シジュウカラ・コジュケイ・キジなどの鳴き声が聞こえて来ます。近くにまでやって来て、話をするかのように鳴き続ける鳥もいます。

八丁湖周辺には、黒岩古墳群という、いくつもの古墳があります。合わせると、吉見百穴よりもたくさんの石室があるとのことです。これらの古墳群は、吉見百穴の場合と違って、表土を取り除くことなく保存されています。

吉見観音ともいわれる岩殿山安楽寺は、八丁湖の南方面、数百メートルの場所にあります。

　石段を登ると、山門があります。山門には、阿吽の仁王像が見張りをしています。左甚五郎作の彫刻もあります。

　山門を潜ると、本堂があります。三重塔があります。

　吉見の里では、季節ごとの自然の変化を体感できます。

　春には、市野川の土手沿いに咲く桜の並木。百穴を背景にした桜の並木は、花房が風に揺れています。

　そして、農家の周りの畑など、梅の花が咲く頃も見頃です。だいぶ梅の木は、少なくなりました。

　八丁湖周辺の早春や初夏の景色は、自然が息づいているのを感じることができます。晩秋の景色も色鮮やかで綺麗です。

　八丁湖周辺の景色は、湖面に映る景色を堪能できるので、格別に美しく感じるのでしょう。

シジュウカラ

吉見百穴を背景にした桜

←八丁湖　　キジ

33

14 越生の里

越生（おごせ）は梅の里だ。

春先には　梅の花が咲き、
梅雨の頃　あおい梅の実をつける。
梅干し、梅酒、梅羊羹。
越生の里の　お土産だ。

越生は柚子の里でもある。
初夏には白い花を咲かせ、
秋には黄色い実をつける。
柚子酢、柚子ジャム、柚子羊羹。
これも越生の里の　お土産だ。

男滝、女滝、天狗滝。
滝壺に激しく落ちる黒山の三滝。
水飛沫が霧となって流れる。
かつては、修行の僧が滝壺で身を清めたか。
今は、夏に涼を求める人の姿が。

梅林の枝垂れ梅

太田道真・道灌、親子の眠る龍穏寺。

二人並んだ質素な墓石。本堂の西側の石段を上ると、木立の中にひっそりとある。

龍穏寺まで、かつては細い山道を登ってたどり着いたのだ。

越生駅の東方面に、山吹の里がある。

ここも太田道灌ゆかりの地だ。

七重八重　花は咲けども　山吹の
みのひとつだに　無きぞかなしき
（古歌・後拾遺集より　兼明親王）

鷹狩に出た道灌が雨にあい、蓑を借りようと立ち寄った時に、若い娘さんが蓑の代わりに山吹の一枝を差し出したという。

古歌を理解していればと無学を恥じたという道灌の逸話があります。

黒山三滝（男滝と女滝）

天狗滝

15 長瀞

荒川の上流　長瀞の岩畳。
地球の内部を曝け出し、
何億年　何千万年の歩みの中で、
今の姿を表している。
高校時代に、長瀞の岩石を調べに、
リュックを担いで　荒川沿いを歩いた。
岩間の流れは　激しく岩にぶつかり、
淀みでは　ゆったりと流れている。
淀みに棹さす　舟の影。
ライン下りの客の声。

　激しい流れに、水飛沫が舟の客にばしゃりとかかる時もあるのです。

　荒川の西岸の崖の上に建つ長生館。ここから見下ろす景色は絶景です。
　宮沢賢治は、盛岡からやって来て、長瀞の岩畳に上り、この荒川の流れを眺めたことでしょう。長瀞が特別な場所であることを、感じることが出来たのではないでしょうか。
　長瀞の隣りの皆野町生まれの金子兜太は、俳句を詠んでいます。長生館の前の庭には、句碑が建っています。

長瀞自然博物館

日本地質学発祥の地（石碑）

猪が来て　空気を食べる　春の峠

（兜太）

長生館には、若山牧水の歌碑もあります。

親鼻橋に行く途中に、長瀞自然博物館があります。博物館の南側の道沿いには、石碑が建っています。そこには、日本地質学発祥の地と書かれています。

長瀞が地球の窓と言われるだけの理由が、歩いてみても、博物館の中に入って調べてみてもわかります。

親鼻橋のすぐ近くの上流右岸に、とても珍しい大きな岩の露頭が目に入ります。

紅簾石片岩（こうれんせきへんがん）という、マンガンを含むチャートなどからできたと考えられる、暗紫色や深紅色の美しい岩です。大きな硬い岩で、上部に甌穴（おうけつ）があります。長い年月の間に、強い流れによって石が転がって掘った穴です。

長瀞自然博物館には、長瀞の周辺の場所から発掘された恐竜の骨などもあります。博物館の玄関では、大きなサメの口の骨が迎えてくれます。

長瀞からは少し離れますが、御巣鷹山（おすたかやま）の手前に聳える両神山の近くでは、恐竜の足跡の化石も出土しています。

今は山々に囲まれた長瀞や秩父盆地。そして高い山々のこの辺り一帯は、かつては浅い海の底であったり、海が入り込んでいたのです。

長生館前庭の金子兜太句碑

若山牧水碑

16 岩槻城址公園と岩槻の街

岩槻城は、江戸城や川越城を築いた太田道灌が築いた城です。岩槻市の花は、山吹の花です。山吹の花にまつわる道灌の逸話が、市の花に繋がったのでしょう。

　　七重八重　花は咲けども　山吹の
　　　みのひとつだに　無きぞかなしき

太田道真・道灌親子の墓がある、越生の里の龍穏寺や山吹の里に重なる歌です。

かつての城郭は、残っておりませんが、お堀や土塁の一部が残っています。

大手門は、城の北側にありました。この付近は住宅街になっていますが、かつては、武家屋敷などがあった場所でもあります。

黒門は、移築されて一部が野球場の傍に残されています。

元荒川が近くを流れていますが、城を守る自然の堀として利用されたのでしょう。

岩槻城址公園には、南東部に池があります。池の中央部には、赤い八ツ橋が架かっています。橋の上から眺めると、池の水面を埋める様に、睡蓮が生えています。夏になると、紅い色や白い色のたくさんの睡蓮の花が、厚い緑の葉の間に咲き誇っています。

水辺や島のような場所には、たくさんの花菖蒲が咲いています。赤い花、黄色い花、白い花など、それぞれが固まるように咲いています。

池の中には、大きな真鯉や緋鯉が、ゴチャゴチャと泳いでいます。睡蓮の葉や花が、押し退けられて動いています。

水辺には、石の上などに、大きな亀が重なるように甲羅干しをしています。

八ツ橋と睡蓮・花菖蒲

38

公園の芝生に面した池は、子供達が水遊び出来るように浅くなっていて、噴水も水を吹き上げています。

　芝生の東側には、からくり時計もあって、決まった時間には、人形が時を告げる仕掛けになっています。岩槻市は、人形の街でもあります。

　時計といえば、公園から岩槻駅に向かう途中に、時の鐘があります。江戸時代には、岩槻城下の鐘の音が、江戸の街まで聞こえたとの話が伝わっています。

　人形の街である岩槻市には、人形博物館があります。本通りに面したお店の中には、〇〇人形店などと看板のある大きな店がいくつもあります。

　路地を歩いて行くと、茅葺き屋根の特徴的な立派な建物が目に付きます。遷喬館という江戸時代に建てられた岩槻藩の藩校です。藩士の師弟の教育のために、児玉南柯が指導にあたったといわれております。埼玉県内で現存する藩校は、この遷喬館だけだと言われています。

　岩槻城下には、江戸から日光東照宮へと続く日光御成街道が、城の西側を南北に通っていたのです。

藤棚とカラクリ時計

岩槻藩校の
遷喬館

17 県営大宮公園

JR京浜東北線の大宮駅は、埼京線、東武野田線、東北新幹線、上越新幹線などの駅ともなっていて、交通の要所でもあります。

その大宮駅から北東方面に約1.5キロメートルの場所に、武蔵の国一の宮氷川神社があります。大宮駅東口から駅前通りを真っ直ぐに進むと、交番のある辺りで、氷川参道に着きます。そこを左に折れて参道を真っ直ぐに進むと、氷川神社に辿り着くことができます。

大宮公園は、大宮駅が出来た年の明治18年（1885）に、氷川公園として誕生しました。埼玉県内にある県営公園では、もっとも歴史のある公園です。その後、日本の公園の父と言われた林学博士・本田静六氏により立案された「氷川公園改良計画」に沿って整備されました。

大宮公園は、日本さくら名所100選、日本の都市公園100選に選ばれています。

約1200本の桜（ソメイヨシノ）、樹齢100年以上の赤松林などは、桜が満開の頃には、桜の花が松の緑に映えて見事です。近くの窪地には、大きな池があります。かつては、ボートなどを浮かべて楽しむことができたので、ボート池といわれておりました。

公園の中には、日本庭園や梅林、県立「歴史と民俗の博物館」、プール、弓道場、動物園、遊園地、野球場、サッカー場などもあります。県営の競輪場もあります。

野球場とサッカー場の近く、松林の入口付近には、珍しいハンカチの樹があります。ハンカチの樹の白い花が、ハンカチのように見えるのです。実際には、白い花のように見えるのは二枚の苞（葉が変形したもの）で、苞に包まれて付け根の部分に小さな花の固まりがあるのです。花の後には、楕円形をしたラグビーボールの様な小さな実ができます。実はだんだんと大きくなり、秋になると全体が茶色くなり、黒い筋の模様になって、ウリボウ（イノシシの子）みたいになります。

昭和55年（1980）に、大宮公園の東側に開設されたのが第二公園です。平成13年（2001）に、第二公園の南側に第三公園が開設されました。

大宮公園 桜

大宮公園舟遊池 桜

ハナミズキ

豊後梅

第二公園には、梅林や菖蒲園、そして、大きな遊水池があります。

梅の花が見頃の頃には、色々な種類の梅の花が咲いて、たくさんの花見客で賑わいます。

枝垂れの梅など見事です。豊後という種類の梅は、ちょっと遅くに咲きますが、うっすらとピンク色をした優しい花を咲かせます。豊後は、家の庭に一本だけ咲いて実をつけてくれます。

梅は、花も綺麗ですが、何とも言えない香りがあるのがいいです。

遊水池の周りの高くなった場所には、桜（ソメイヨシノ）の老木が一定の間隔で植わっています。桜の花が満開に咲く頃には、太い枝にも細い枝にも重たくなる程に咲いて、風に揺れています。そんな時には、普段は釣りなどしている瓢箪の形をした池の他は広い芝生になっているので、シートを敷いて弁当を広げる花見客で賑わうのです。

瓢箪の形をした池の北側に、飛び石のように並んだコンクリート製の道ができています。三列に飛び石となっている四角い上面には、ネズミやウサギなどの十二支、亀や魚、アヒルなどの動物の絵が描かれています。一歩踏み外すと池の中に落ちてしまうのですが、子供でなくても楽しみながら渡る事が出来ます。二人で一緒に渡ることも出来るでしょう。

京都の出町柳駅近く、下鴨神社の南側にある賀茂川と高野川の合流地点にある亀などの動物の飛び石を思い出します。賀茂川は、その地点から下流が鴨川と呼ばれる流れになっているのでしたね。

芝生の中には、藤棚があったり、メタセコイアや糸柳の高木もあります。芽吹いた後の糸柳の枝が、風に揺れる様は風情があります。

窪地の西側には、大きなクスノキがあります。子ども達が木登りするには、もってこいと思われる枝ぶりをしています。

ひょうたん池と緑の芝生になっている調整池

　野球場から第二公園に通じるハナミズキ通りも、花の時期には華やぎます。

　第二公園内のヤマモモの並木も、日陰を作ってくれたり、たくさんの実が熟する頃はいいものです。

　第三公園は、真ん中に芝生の広場があり、広場の東側には、花壇や池などがあります。南側には、クヌギなどの雑木林があります。西側には、ヤマモモ

などの樹が植えられています。北側には、クヌギや柿やボケなどが植えられています。

　クヌギの実（ドングリ）を拾ったり、ボケの花を愛でたり実を触ってみたり、ヤマモモの実を口にしてみたりするのも楽しいものです。

　芝生や花壇や池の周りを、歩いたり走ったりできるように、ロードが巡っています。

　ロードの周りや木陰などに、ベンチが置かれているので、ゆっくりと寛ぐことができます。

　ベンチに座っていると、季節ごとの景色を楽しむことができます。いろいろな人の動きがわかります。

　明治24年（1891）には、東京帝国大学学生であった正岡子規が、大宮公園にある高級料亭・万松楼（ばんしょうろう）に泊まっています。この時に、子規は夏目漱石を呼び出して、一緒に宿泊しているのです。

ふみこんで　歸る道なし　萩の原

　万松楼に宿泊した時に、子規が詠んだ句とのことです。万松楼のあった場所は、現在では動物園や遊園地になっています。

　森鴎外や田山花袋なども、大宮公園を訪れたといわれております。

大宮第二公園 枝垂梅と紅梅

大宮公園のように、プロ野球とJリーグを開催出来る公園は、他にはないそうです。

サッカー場は大宮アルディージャの本拠地ですし、野球場は西武ライオンズの試合などを観ることが出来るのです。

大宮球場開きの記念試合では、ベーブ・ルースがホームランを打ったとのことです。長嶋茂雄選手が高校生の公式戦で、ホームランを打ったともいわれております。

そのことが、球場入り口前の植え込みにある碑文に、書かれています。

反対側の垣根に沿った場所に、ダイナモという樹が植えられています。野球が好きな人が集まる場所だけに、植えられたのでしょう。この樹は、野球で使うバットを作る時の材料になるそうです。丈夫で飛距離も出るので、バットの材料によいのでしょう。世界のホームラン王と言われる王貞治選手も、ダイナモの樹で作ったバットを使用していたそうです。

開園当時の大宮公園は、武蔵野の面影を残していて、熱海と並ぶ東京の奥座敷といわれていたそうです。そして、文人墨客などに人気があったそうです。

大宮第二公園の芝生広場と瓢箪池

18 渡瀬遊水池

　埼玉県と栃木県と茨城県とにまたがるように、渡瀬（わたらせ）遊水池は拡がっています。

　ここ渡瀬遊水池は、明治の時代に　足尾鉱毒問題で大きな被害を被った谷中村などのあった場所でもあります。

　田中正造が、被害農民達と一緒に明治政府に掛け合ったが、改善することがなかったため、天皇に直訴

したあの事件に関係する場所でもあるのです。

　今では、鉱毒問題の影響はなく、渡瀬遊水池に隣接する埼玉県側の加須市（かぞ）（旧北川辺町）などは、有数の米の産地となっています。

　遊水池は、三県にまたがる広大な湖のような調整池で、上空から見るとハート形をしています。

　真ん中に結構大きな島があって、南北に延びる細い堤防や橋で、北端と南端を繋いでいます。

　満々と水を湛えた渡瀬遊水池。

　風のない日などに、南端から中の島に向かう途中から観る景色は、辺りの景色を鏡のように水面に映して、特別に美しく感じられます。

　遠く北側には、日光連山。北西部には、赤城の山々。東方はるか遠くには、筑波山。

　夏には青い山々の連なりが、冬には雪を被った白い山々が、迫ってくる感じで見えるのです。

　遠くの山々が、湖水のような遊水池の水に映ると、遠景の実際の山の影が近くに見えるのです。

　遊水池の広い土手には、釣りを楽しむ人達がいます。釣り上げた魚は、ワカサギや鮒などのようです。

　渡瀬遊水池の周りや中の島に続く堤防上は、サイクリングロードになっているので、自転車をこぐ人の姿もあります。

　風がある時に堤防上を歩くと、水面に波が立ち、寄せる波の音が海辺を思わせてくれます。

←ハート形の渡瀬遊水池　↓渡瀬遊水池 遠くに山々

渡瀬遊水池 雪景色

渡瀬遊水池 サイクリング

19 青梅

遥かに奥多摩の山々。左手に長い堤防。
峰々からの流れを集めた豊かな湖水。
眼前には、広々と奥多摩湖の湖面が…。
断崖絶壁の放水路と発電所。
湖畔には、温泉宿もある。

多摩川の上流。
奥多摩湖の水が流れ落ちる渓谷。
くの字のように折れ曲がる渓谷を縫って、
大きな岩間を走り下る流れ。

急流に架かる大仕掛けの吊り橋。
カヌーボートを操る若者たち。
釣り糸を垂れる人。
岩場の河原でくつろぐ人たち。
川沿いに遊歩道が続いている。

地酒の澤乃井酒造。
食事処のままごと屋、いもうと亭。
杉木立の間から見える旅館の屋根。

上：多摩川吊り橋　下：カヌーボート

46

川合玉堂美術館。
玉堂と横山大観との交友が偲ばれる。
吉川英治記念館。
小説宮本武蔵は、ここ青梅で書かれたのだ。

多摩川が大きく蛇行する突き出た断崖。
断崖上に聳え立つかんぽの宿・青梅。
吊り橋上から見下ろす多摩川の清流。
川鵜が岩の上に黒い身体を休めている。
空にトンビの鳴き声がする。

多摩川を挟んで、青梅街道と吉野街道が
ほぼ平行するように走っている。
街道に沿ってお店や民家が
ゆったりと建っている。

山裾を這うように、青梅線が走っています。
　家々の周りや狭い畑地には、梅の木がたくさん植
わっています。
　春には、枝えだに花を咲かせます。梅雨の頃には、
梅の実が熟します。
　青梅は、梅の里でもあります。

川合玉堂美術館

吉川英治記念館

奥多摩湖

20 銚子・犬吠埼燈台

太平洋に突き出た岬　犬吠埼。

硬い岩盤に打ち寄せ砕ける白い荒波。

海面から聳えるように切り立った断崖。

その崖の上に聳える白い灯台、犬吠埼燈台。

満月の夜に見た。

海面上にできた黄金色の道。

静かな海に神が通る道ができたのだ。

竹久夢二、国木田独歩などの歌碑がある。※

武蔵野を歩いた人は、犬吠埼も訪れたのだ。

夢二の恋の物語もある。

外川の漁港。澪つくしの映画のロケ地。

君ヶ浜の海水浴場。

荒磯の海岸。

洗われる岩場に、海鵜の群れが舞う。

九十九里に続く屏風岩。

手前の海水浴場。ヨットハーバー。

海面すれすれに　カモメが飛んでいる。

空高く舞い上がり、身を翻して、

また、水面を飛ぶ。

広く、青い、海と空がある。

カモメの心が、私にもわかる気がする。

※宵待草　作詞・竹久夢二
　　　　　作曲・多　忠亮

待てど　暮せど　来ぬ人を

　宵待草の　やるせなさ

　　今宵は　月も　出ぬそうな

竹久夢二 宵待草歌碑

国木田独歩碑

犬吠埼『心の故郷を訪ねて』より
―1996年4月1日―

1. 緑の丘を　西に見て
　　大洋（うみ）に突き出た　犬吠の
　　岩場に寄せる　白波の
　　　　波間に低く　舞うカモメ
　　　　空と海との　境界を
　　　　はるか遠くに　見やりつつ
　　　　青空の下の　白い燈台　犬吠埼

2. 利根の流れを　北に見て
　　大洋に突き出た　犬吠の
　　　　岩礁に白波　砕け散る
　　カモメも岩場に　舞い降りて
　　雨風しのぎ　群れをなす
　　波と風とが　吠ゆる岬
　　曇天の下の　白い燈台　犬吠埼

「銚子犬吠埼燈台と満月」浅野 正男

3. 銚子漁港に　外川の港
　　大洋に突き出た　犬吠の
　　岩場にカモメの　群れ飛び交う
　　大漁旗を　なびかせて
　　白い漁船の　行き交う岬
　　晴天の下の　白い燈台　犬吠埼

21 五浦海岸

茨城県北部にある五浦海岸。岸壁に立つと、入江の荒磯に打ち寄せる荒波に圧倒される。

この地は、東京からは適度に離れた場所でもあります。

当時の中央美術界を離れた岡倉天心、そして、横山大観、菱田春草、下村観山たちは、ここに日本美術院を創立することにしたのです。

五浦海岸を見下ろす断崖の上に、新しく日本美術院を設立したのでした。

この場所からは、一日中、打ち寄せる波の音が聞こえてきます。松の枝や葉をかすめる風の音が聞こえて来ます。

湾の奥まった場所ではあるが、ちょっと突き出た岩場の上に、六角堂があります。

西欧化の影響が濃くなる中央美術界を離れ、日本画など伝統美術の価値を継承しつつ近代化を模索する新進気鋭たちの姿が偲ばれます。

六角堂の北側の崖を登って、五浦観光ホテル、別館大観荘方面に進むと、円い塚のような墓があります。

これは、岡倉天心の墓です。

大観荘の前の道をさらに東に向かって進むと、岡倉天心記念五浦美術館があります。

岡倉天心は、日本の伝統美術を継承しつつ日本の近代美術を創造する美術理論の主柱となった人でした。岡倉天心の指導を受けた横山大観、菱田春草、下村観山たちは、朦朧体といわれる日本画の革新な

ど、新しい日本の美術を模索し、実践・創造した人達でした。

一緒に生活し、一緒に絵を描き、一緒に激論を交わし合う人達でした。

五浦には、大きな入江がいくつもあります。

そのどれもが、荒磯です。砕け散る波の音は、昼も夜も聞こえて来ます。

太平洋に突き出た五浦半島は、目の前が広い海原です。広い太平洋の水平線から昇る太陽や月を、新進気鋭達はどのように眺めていたのでしょうか。激しく打ち寄せる波の音は、彼等を励まし続けていたに違いありません。

私は、松の木がたくさん植わっている民宿に泊まることにしました。

一晩中、荒磯に打ち寄せる波の音が聞こえて来ました。寄せては返す波の音。繰り返し繰り返し激しく寄せる波の音が聞こえていました。

六角堂

22 城ヶ崎海岸

大海の磯もとどろによする浪
　　われて砕けて　裂けて散るかも

　これは源実朝が詠んだ歌ですが、実朝は鎌倉の荒磯の海岸に臨んで詠んだのでしょう。

　江ノ島に渡ると、島の南側の荒磯に洞窟があります。江ノ島は、かつては打ち寄せる荒波が硬い岩を削り奥深くまで洞窟を掘ったのです。

　やがて、島は隆起して現在の姿になったのでした。伊豆半島の東海岸にある城ヶ崎海岸も荒磯の代表的な海岸の一つです。

　駐車場から城ヶ崎灯台へと続く道を辿り、吊り橋方面に向かいました。

　複雑な荒磯は、激しく打ち寄せる荒波が長い年月の間に削って出来た姿なのでしょう。

　今でも地鳴りのような音を轟かせて、私達が立っている岩場の下を削り続けています。

　吊り橋を渡る時には、両岸の岩場や足元の潮の流れの激しさに圧倒されます。

　吊り橋を渡り切ると、近くに歌碑があります。『城ヶ崎ブルース』（作詞・星野哲郎　作曲・関野幾生）の歌碑です。

1. ゆかねばならぬ　男がひとり
　ゆかせたくない　女がひとり
　ふたりの恋の　城ヶ崎
　咲けよ匂えよ　湯の花すみれ
　あしたのことは　言わないで

3. 愛してくれた　小指の爪を
　そっとかたみに　つつんでいれた
　ハンカチ白い　城ヶ崎
　あなたが帰る　遠笠山が
　涙にかすむ　夜のはて

　城ヶ崎をあとにして、河津方面へと向かうと、車窓から右手前方に遠笠山が見えてきます。

吊り橋

51

23 水の音　波の音

古池や　かわず飛び込む　　水の音

これは松尾芭蕉の詠んだ有名な俳句です。
　古池の様子、　辺りの静けさ、波紋の広がり、蛙の姿まで目に浮かびます。

　水の音には、いろいろな思い出があります。
　梅雨入りすると、毎日のように降る雨。
　小さな庭に植わっている柿や南天の葉に降る雨。門の傍のヤツデや柊（ヒイラギ）の葉にシャワーのように降り注ぐ雨。

　公園の池の噴水が、花火のような形をして水面に降り注いでいます。枝葉を揺する風の音。池の端に立つ年配の男が吹く尺八の音色が、辺り一帯に広がっていきます。

　越生（おごせ）の里の奥まった岩間を、流れ下る沢の音。突き当たった岩壁を、流れ落ちる滝の音。
　天狗滝、男滝、女滝の黒山三滝。

　見沼たんぼの中央を流れる芝川沿いに生えている榎（エノキ）の大木。枝葉を揺する風。そして、芝川にそそぐ小さな流れ。

　銚子市犬吠埼の燈台。崖の上から見下ろすと、荒

大宮公園池

磯に打ち寄せる白く砕ける波飛沫。

　犬吠埼を訪れた国木田独歩・竹久夢二も、荒磯に打ち寄せるこの波の音を聞いたのでしょう。

　東伊豆南端に近い城ヶ崎海岸。吊り橋下の洞穴に地鳴りと共に寄せる波の音。
　吊り橋を渡る時、眼下に寄せては返す潮の流れ。切り立った岩肌が織り成す両側の景観。
　その眺めは、壮観そのものです。

　茨城県五浦海岸六角堂付近の荒磯の海岸。辺りの岩礁に打ち寄せる波の音。
　岡倉天心、横山大観、菱田春草、下村観山たちは、東京の中央画壇を離れて新天地を求めたのでした。
　彼等にとって五浦の地は、相応しい場所であった

城ヶ崎海岸

五浦海岸

に違いありません。

　六角堂で思索に耽る姿が浮かんでくるようです。激論を交わしたこともあったかもしれません。

　千葉県の銚子や茨城県の五浦は、広い太平洋に面した場所です。東の海から昇る太陽や月は、曙（あけぼの）のあるいは夕暮れの広い海原から現れるのでしょう。

　新しい時代を切り拓く開拓の精神が、ここから生まれたのでしょう。

　岡倉天心から多くを学んだ横山大観は、近代日本画壇の巨匠として活躍し、「朦朧体」と呼ばれる独特な没線描法を確立したのでした。

　そして、横山大観は日本の第1回文化勲章受章者になりました。

　東京の中央画壇から追われた岡倉天心、横山大観たちは、日本美術院を茨城県の五浦の地に設立したのでした。日本美術院は、荒磯の崖の上にありました。

五浦の荒磯に打ち寄せる波の音は、彼等の日常の生活の中にあったのでした。

ヤツデ

雨にぬれる南天

24 案山子

文部省唱歌『案山子(かかし)』は、武笠 三(むかさ さん)・作詞
山田源一郎・作曲　によるものです。

> 山田の中の　一本足の案山子
> 天気の良いのに　蓑笠つけて
> 朝から晩まで　ただ立ち通し
> 歩けないのか　山田の案山子

右上・見沼田んぼ
可愛い案山子→

さいたま市(旧浦和市)見沼田んぼの見沼代用水
西縁用水沿いに、氷川女体神社があります。

用水を挟んだ東側に、ちょっとした公園があります。
公園の一画に、ブロンズの案山子の像と『案山子』
の歌碑があります。

ここが、文部省唱歌『案山子』の発祥の地とされ
ているのです。

かつて、見沼田んぼ一帯は、秋になると稲穂の波
がみられたのでしょう。収穫時期を控えた頃には、
野鳥がたくさんやって来て、せっかくの収穫物を食べ
たりする被害もあったでしょう。田んぼのあちこちに
案山子が見られたのでしょうか。

近頃は、ほとんど見られなくなりましたが、地域に
よっては、案山子を見ることもあります。今風のユ
ニークな案山子や子供達が作ったとみられる可愛い

見沼氷川女体神社の公園と案山子

い案山子もあります。

　昔も今も、農家の人にとっては、田んぼで収穫するお米は命です。

　今年のお米の売り渡し価格は、全国平均で
米60Kg、約12000円とのことです。

　1Kg、約200円です。

コンビニで買うお茶の値段は、

　500ml（約500g）または600ml（約600g）で約128円です。

　お茶2本で約1Kg（約1ℓ）ですから、お茶2本で1Kg
256円です。

　お米の値段は、高いですか？　安いですか？

農家の人達は、1年ずっと働いてお米を作るのです。

お米は、良く出来て、1反歩（10a）当たり9俵の収量
といわれております。

　1a は10m×10m=100㎡

　10a（1反歩）では1000㎡です。

　田んぼ1000㎡（25m×40m）で、

　よくて9俵ほどしか収穫できないのです。

　1俵（60Kg）2万円としても、

　9俵では18万円です。

1俵12000円では、

12000円×9 で、108000円です。

1反歩（10a）当たり、10万8000円です。

農家の人が、お米を作るのに、

お米60Kg当たり、15000円程の生産費がかかるそうです。

　1年間に15000円の生産費をかけて、12000円で
売っていることになります。

　割りの合わないことをしているのです。

　1反歩（10a）あたり15000円の補助金がありました
が、7500円に減らされ、今では、補助金はなくなりました。

　コロナが流行したために、昨年から今年にかけて、
お米の需要がだいぶ減りました。

　お米が余って、米価が下がっています。

　政府は、農家に、お米36万トンを減らすよう、減反
の要求をしています。

　そしてその一方、政府は、アメリカなどからミニマム
アクセス米を77万トンも輸入するとのことです。

　田んぼの案山子は、どんな想いで、世の中を眺めて
いるのでしょう。

25 富士山

伊豆半島の沼津方面を見下ろす達磨山（だるまやま）の展望台から観る富士山は、圧巻である。

北側には、見下ろすと、駿河湾や達磨山に続く裾野や広大な富士の裾野が広がっています。

眼前の富士山は、駿河湾から迫り上がっているスケールの大きい富士です。

伊豆半島の西海岸、戸田湾から望む富士山は、葛飾北斎の浮世絵に描かれる富士のようです。湾の口の方角に富士山が見えます。戸田湾の外海海岸から見る富士山は、駿河湾の海原の水平線の先に聳え立っています。

箱根の芦ノ湖の賑やかな街並み側から見た富士山は、湖の延長線の山並みの上に突き出て見えます。芦ノ湖に海賊船が浮かんでいる時の景色は、背景に富士山が見えると格別です。

富士五湖側から観る富士山は、湖と富士山と周りの山々が調和して、絵葉書ではわからない美しさがあります。

富士山は、日本で一番高い山です。伊豆半島や箱根、富士五湖側からだけでなく、静岡県の海岸沿いや千葉県の房総半島側からも見えます。

日本各地に富士見坂、富士見橋、富士見通りなど富士と名付けられた場所は、数え切れません。

富士山は、そこに住む人々の生活の中にあるのです。

富士山は、信仰の山でもあります。

毎年、たくさんの人々が富士山頂を目指します。世界文化遺産にもなりました。

私の住む近くにも、国指定の富士塚があります。不二道を開いた小谷三志（こたにさんし）の墓がある地蔵院や三志の生家跡もあります。三志の弟子は、全国に10万人程いたとも言われております。

二宮尊徳とも交友があった人です。尊徳と同じように、道路や橋を造ったり、治水事業などをして農民と一緒にいた人です。

富士と不二。やはり富士山と共にあった人でした。

命尽きるまで

クスノキ

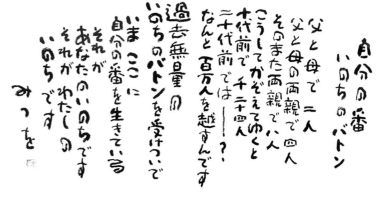

1 命

詩人であり書道家の相田みつをさんのつぶやき言葉の中に、**自分の番 -「いのちのバトン」-** という文があります。

今の自分が、過去無量の命のバトンを受け継いで、今、ここに生きているという言葉です。

父と母で2人。父と母の両親で4人。

10代前では、1024人。20代前では、なんと100万人を超す命があったお陰で今の自分があるということを教えてくれる言葉です。

私も電卓を取り出して、調べてみました。

20代前では、確かに 1,048,576人。

命のバトンを受け継いで、今の自分があることがわかりました。

それがあなたの命です。
それがわたしの命です。

と、相田みつをさんは結んでいます。

命のバトンが　途絶えていたならば、今の自分は存在しなかったのです。

両親から私が生まれる時でさえ、その時に仲違いしていたならば、今の自分は存在しませんでした。

何億という精子の中から一つだけ選ばれて、卵子と結合し生まれることができたのです。

そして、先祖代々の命の糸が、どこか一ヶ所でも途切れていたならば、今の自分は存在しなかったのです。

私は、なぜ、この地球という星に誕生することができたのか？　そして、この私が、いろいろなことを考えているのも不思議なことです。

この地球が、どのようにして出来たのか？

人類が、生物進化の過程の中で、どのようにして誕生したのか？

そのすべてが繋がって、今のあなたが存在しているのです。そして、私もいるのです。

宇宙の中には、地球と似た天体があるのではないかと思われますが、その天体のどれ一つにも行くことは出来ないでしょう。

あまりにも遠いからです。

宇宙の中でも、ほんとうに恵まれた天体である地球という星に生まれた私たちは、そのことをもっと真剣に考える必要があるのではないでしょうか。

宇宙の中でも、地球という恵まれた環境の中で生を受けたあなたと私、そして、私達。

これから続くたくさんの人達のためにも、今の自分を精一杯に生きることが、大切な気がします。

2 蝉

木の幹に産み付けられた卵からかえった幼虫は、土の中にもぐって冬を越す。土の中で何年も過ごして、やっとサナギとなり、木の幹から木の枝を伝って這い出した蝉。

サナギから蝉の姿になってからは、1週間から10日程の命を生きる。

雄は、体一杯に震わせて、鳴く　鳴く　鳴く。ただひたすらに雌を求めて鳴く。

交尾をした雌は、木の幹に卵を産み付ける。

土の中から地上に出てからは、わずかな命。蝉は、子孫を残すため、精一杯に体を震わせて鳴き生きるのだ。

閑かさや　岩にしみ入る　蝉の声

これは松尾芭蕉が詠んだ俳句です。山形県の立石寺で詠んだ句ですが、辺り一帯の静かさの中で鳴く蝉の声が、まるで岩に滲み入るように聴こえたのでしょう。そして、芭蕉は、精一杯に鳴く蝉と自分とを重ねていた部分もあったのではないでしょうか。

アブラゼミ

1.　まぼろしの　影を慕いて
　　雨に日に
　　月にやるせぬ　　わが想い
　　つつめば燃ゆる　胸の火に
　　身は焦がれつつ　しのびなく

3.　君ゆえに　　永き人世を
　　霜枯れて
　　永遠に春見ぬ　わが運命
　　永ろうべきか　空蝉の
　　儚き影よ　　わが恋よ

若き日の古賀政男が、苦悩に満ちた日々を送っていた時に作詞したという『影を慕いて』の詩です。

空蝉とは、蝉の抜け殻のことです。古賀政男は、自らの身体を蝉の抜け殻にたとえたのでしょう。激しい恋であればある程、失った時の心の痛みは辛いものです。そんな時には、自分という存在が未来を失ってしまうのです。

その時の古賀政男は、まさに空蝉だったのでしょう。名曲『影を慕いて』は、失意の中で青根(宮城県)の雑木林をさまよって歩いていた時に生まれたとも言われております。

3 雨蛙

広い田んぼや桑畑に

あちらから　こちらから

小さな体を

精一杯つかって鳴くのでしょうか

辺り一帯に響き渡るような鳴き声で鳴いている雨蛙。

　雨蛙は、鼻から吸い込んだ空気を肺にたくさん送り、喉元にある鳴囊と呼ばれる鳴き袋を膨らませて鳴きます。吸った空気を鳴囊と肺との間を行ったり来たりさせることで音を出すのです。

ニホンアマガエル

どんよりとした雲が

垂れ下がってきて

辺りの空気が冷たくなってくると

どこからともなく鳴き出す一匹の雨蛙

その鳴き声は、いつの間にか、辺り一面に響く、たくさんの蛙の鳴き声になっているのです。

　雨蛙は、ほんとうに小さな蛙です。

　全身を震わせて鳴く雨蛙の姿に、感動を覚えます。近付くと、ぴたりと鳴くのをやめて、じっと様子をうかがいます。身の危険を感じると、素早くどこかへと消えてしまいます。

　小さな命、いっぱいに生きています。

アカメアマガエル
（中央アメリカ、南米北部の熱帯に
生息する）

60

4 顔

仕事に向かう時の顔。
仕事が生活を支えているのを意識した時、
自然と厳しい顔になる。そして、
手応えを感じた時、豊かな顔になる。

孫と一緒にいる時の顔。
子育てしていた時には、
厳しい顔をしていたのに、
こんな顔もするのかと
びっくりする程の笑顔になる。

友達と語り合っている時の顔。
心置き無く語らう関係になった時には、
周りの人にも伝わるくらいに、
自然な笑顔をしている。

ひとりでいても　本を読んでいる時、
散歩している時、
仕事に没頭している時、
悩み事を抱えている時、
それぞれ違う顔をしている。

　生まれつきの顔は、人それぞれに違っていても、
その人らしい顔が創られていく。
　魅力のある顔を創るには、努力の積み重ねが欠か
せないのかもしれません。
　人と人との関係に恵まれた人は、一番幸せな顔を
しているのかもしれません。

5 地球という星に生まれて

不思議だ。満々と水を湛えた、地球という星が存在することが。

そこには、植物が繁り、動物たちが、昆虫たちが、活躍している。

川や沼、湖、そして海には、いろいろな魚などが泳いでいる。

それだけでも不思議なのに、
その地球に、
あなたが居て、私が居る。
あなたや私につながる、
たくさんの人たちが居る。
そして、あなたも私も知らない、
たくさんの人たちがいる。
私が、この地球にいる不思議。
あなたが、この地球にいる不思議。

この地球が、危機を迎えている。

地球温暖化による危機。核兵器による危機。

食糧や飲料水の危機。そして、新型コロナウイルスなどの感染症による危機。

グローバル化された現代社会にあって、グローバル化されたことによる危機を迎えている。

人間が、自然に対して、無秩序な開発をしたことにより、もたらされたのでしょう。

ですから、これらの危機は、人間の結束した叡智と工夫によって克服することができるでしょう。

地球という星に生まれた私達。人間だけでなく、自然界のすべての生き物たちと手を携えて、一緒に旅を続けましょう。

6 宇宙の歴史の中で

宇宙のことを考えると、
道端に落ちている　石ころ1つにも、
興味を持ち、親しみをおぼえます。

138億年の宇宙の歴史の中で、
46億年の地球の歴史がありました。
原始地球では、
微惑星や小天体との衝突もありました。
地球内部が活動し、
やがて地球表面に
広い海と大陸が誕生しました。
マントル対流に載った地殻は移動し、
大陸は現在の姿を見せているのです。

もともとは1つの大陸であったのが、今の姿になる不思議。地球の今の姿も、やがては違う姿になるのでしょう。

私達は、移り行く地球の姿の一瞬を、世界中の人々と共に生きているのです。

平均寿命が伸びたとはいえ、人間の命には限りがあります。長生きする人でも、100歳ちょっとの命です。宇宙の歴史138億年、地球の歴史46億年と比べると、人間の命は短いものです。

しかし、宇宙や地球の歴史の中で、初めて、人間が地球や宇宙のことを探究する生命体となったのです。

地球上で、命を授かった私達。

地球上のすべての生き物達が、共に生きる運命を与えられたのです。

ただ、人間だけが、自然界に働きかける生き物だと、知っておく必要があるかもしれません。

7 宇宙の共同研究・開発と国際宇宙ステーション

2021年5月15日に中国の無人火星探査機「天問1号」が、火星表面へ無事に着陸成功したニュースが流れました。

着陸成功は、アメリカ・ロシアに続く3カ国目。火星の表面探査は、アメリカに次ぎ世界で2カ国目とのことです。火星表面の探査車「祝融号」は、5月22日に火星の地表に降ろされ、火星表面の探査を開始しました。

旧ソビエトのガガーリンに始まる宇宙への挑戦。アメリカのアポロ計画。アポロ11号によるアームストロング船長たちの月面着陸成功のニュース以来、宇宙への挑戦はしばらく途絶えていました。

日本の宇宙航空研究開発機構（JAXA）が成し遂げた、小惑星探査機「はやぶさ1号」「はやぶさ2号」による小惑星イトカワ・リュウグウへの着陸、岩石採取の成功。日本人や世界の人々に、人類の可能性への夢や希望を与えてくれました。

そして今回、中国の無人探査機による火星表面への着陸成功。

人類の月面への着陸成功、そして月面探査の可能性を拓くものとなりました。

地球の上空400km程に、日本・アメリカ・欧州各国（イギリスなど11カ国）・カナダ・ロシアなど15カ国の共同で、計画を進め利用しています。国際宇宙ステーション（ISS）は、宇宙空間での様々な実験や研究などの宇宙活動の拠点でもあり、国際協力と平和のシンボルでもあります。

やがては、月面上空にも国際宇宙ステーションを組み立てることになるでしょう。

月面探査や月の資源開発などが行われるかもしれません。

国際宇宙ステーションが、世界各国の共同研究・共同開発の拠点として、また、国際協力と平和のシンボルとして、今後も機能することを願っております。宇宙軍拡の拠点となるようなことは、食い止めなければなりません。中国も共同参加する国際宇宙ステーションの時代が、近い将来に来ることを願っております。

宇宙は、とても広い世界です。

光の速さ、秒速30万Kmの乗り物に乗ったとしても、月までは1秒ちょっとです。

太陽までは、約8分20秒。火星までは、公転上の位置にもよりますが、もっと近いです。太陽系以外では、一番近い星でも、光の速さで片道約4.2年もかかるのです。片道、数十億年以上もかかる星もあるのです。

人類は、宇宙の中の地球という星に生を受けたのです。宇宙の歴史の中での人間の役割とは、なんでしょうか。よく考えなければならない大きなテーマだと思います。

8 夢や希望を

70歳を過ぎると死を意識するようになります。
普段の暮らしが、大切に思えてきます。
一日一日の何気ない繰り返しさえ、
大事なことに思えてくるのです。

なぜ散歩なんかするのだろうと考えていた、若い頃の私。
足の衰えが、考える力を衰えさせてしまうことを知った今。毎日、散歩を欠かさない私がいるのです。

　終わる時は、いつか来る。
　今を、精一杯に生きるのだ。
　散歩する。新聞・本を読む。
　文章を書く。
　食べる。飲む。唄う。そして眠る。

今の世の中に対して、自分の関わり方を考える日々もあります。

　私に、何が出来るだろうか。
　そして、
　私に出来ることを一つするのです。

世界は、激動の時代を迎えています。

人類史上、最大の変革期を迎えているのではないでしょうか。
人々は、世界各地で声を上げ始めました。
香港で、ミャンマーで、欧米や日本で…。
それぞれの国で、それぞれの街で、世界中の人々が、より良く生きるために。みんなの幸せのために。
誰もが、一度だけの人生。
自分の生き甲斐を見つけた人は、幸せです。
自分の得意なことを掘り下げて、絵画・彫刻・音楽・小説などの形にする。歌や踊りや演劇などで、自己表現をする。
あなたも、私も、夢や希望を大事にしながら、私達の作品を創るのです。私達が私達の手で、私達の住む社会をつくるのです。
私達の社会をつくるのは、私達以外にはいないのですから。

スノードロップ　花言葉：希望

9 子供

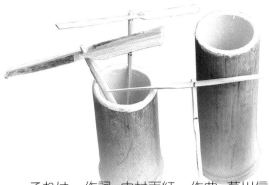

春の小川は　さらさら行くよ
岸のすみれや　れんげの花に
すがたやさしく　色うつくしく
咲けよ咲けよと　ささやきながら

春の小川は　さらさら行くよ
えびやめだかや　こぶなのむれに
今日も一日　ひなたでおよぎ
遊べ遊べと　ささやきながら

　高野辰之作詞（林柳波改作）による唱歌『春の小川』の歌詞です。

　子供たちが　水辺などで遊んでいると、ほっとした気分になります。自然の中で遊ぶのが、子供たちの本当の姿のように思います。
　家の中で過ごすのは、子供たちの健康や成長にとっても、マイナスとなるのではないでしょうか。

夕焼け小焼けで　日が暮れて
山のお寺の　鐘が鳴る
おててつないで　みな帰ろ
からすと一緒に　帰りましょう

　これは、作詞・中村雨紅、作曲・草川信による童謡『夕焼け小焼け』の歌詞です。
　田舎で育った私は、村の友達と一緒に遊んで、帰るのは、夕方遅くになることもありました。
　秋も深くなると、暗くなるのも早くなり、暗くなった夜道で家路につくこともありました。

　幼かった頃の私が、一目散に走って家まで帰った時の暗い夜道を想い出します。
　暗闇に、うっすらと白くなった道は、家にまで続いていました。家の灯りにほっとしたのでした。
　昼間遊んでいる時には、いっぱい遊んで空になった胃袋に、飲みこんだ井戸水が、ポチャンポチャンと音を立てていたこともありました。
　刈り取った後の田んぼで、野球をしました。
　田んぼに水を引く溜池で、タナゴやコイを釣ったこともありました。
　竹とんぼや凧を自分で作って、飛ばしたこともありました。
　近所の子供等が一緒になって、鬼ごっこや隠れんぼ、陣取りなどして遊びました。

今は、近所に子供達の声を聞くことが少なくなりました。子供達の声を聞くと、気持ちが和らぎほっとします。

子供達が、やがては次の時代を切り拓くのですから。

私が教職の仕事についた頃には、子供達が近所にたくさんおりました。

学校をたくさん造る必要があるほどでした。

子供達は、下校後もみんなで遊ぶことが普通のことでした。

学校でも、教室や校庭で、みんなで元気良く遊んでいたものです。

旧・小川小学校下里分校跡　教室

明日を信じて（蝸牛の家より）

1、みんなで行こうよ　あの空の下へ
　　手と手をつないで　明日の日を信じて
　　小川の流れも　岸辺の柳も
　　夢見るぼくらの　幸せ祈るよ

2、みんなで行こうよ　あの山の麓へ
　　手と手をつないで　明日の日を信じて
　　野山の草木も　畑の小麦も
　　そば行くぼくらの　足音を偲ぶよ

3、みんなで行こうよ　あの空の下へ
　　手と手をつないで　明日の日を信じて
　　大空にはばたき　高く舞う大鳥も
　　夢見るぼくらの　門出を祝うよ

10 死と向き合う時

行く川の流れは絶えずして
しかも　もとの水にあらず
淀みに浮かぶ泡沫は
かつ消えかつ結びて
久しくとどまりたる　ためしなし
世の中にある人とすみかと、
また　かくの如し。

この文で始まる『方丈記』は、平安時代末期から鎌倉時代前期にかけての日本の歌人・随筆家であった鴨長明が書いた有名な文章です。

この世の無常を詠んだものです。

当時の様子の一部は、現在でも京都府下鴨神社境内に残っております。

私には、死と向き合う時期が、3回ほどありました。

1度目は、中学2年生の時です。

盲腸炎を拗らせた1度目の手術は、膿が体内に残ったために40度程の高熱が1週間ばかり続き、激しい腹痛を伴うものでした。意識が朦朧とする中で、「父ちゃん、おれ　もうだめかなぁ。」と呟いていたとのことでした。

明け方、目覚めた時には、カラスの鳴き声が自分の命と重なって感じられました。

ただひたすらに、生きたいと思いました。

1週間後に、2度目の手術を行いました。4時間半程の手術では、大腸や小腸などを体外に取り出して洗浄したりしたそうです。

術後も、点滴2本と化膿止めその他の注射を7本ずつ毎日打ち続けました。腸を元の位置に戻すため、お腹を覆うようにして電気治療を続けました。排便などは、お腹の腸から直接管を下げて採っていました。

点滴や排便などの管が付いていたので、2ヶ月以上は、ベッドで寝返りを打つことさえ出来ませんでした。2ケ月と10日間の入院生活の中で、ベッドから降りられたのは、最後の1週間でした。初めてベッドから降りた時には、足の筋肉が萎えていて、自分の身体を支えることが出来ませんでした。今でも私のお腹には、大きな傷跡があります。腸をお腹の皮に縫い付けたままになっているのです。

2度目は、20歳の頃でした。

中学2年生の2月に退院した私は、3年生の胸のレントゲン検査で肺結核と診断されました。学校には通いながらも、治療は大学4年生まで続きました。

大学生活を送りながら、肺結核の治療も続けました。学生運動の激しい時期でした。そして、世の中が大きく変わろうとする時期でもありました。そんな中で、特別奨学金とアルバイト収入だけの生活でした。

20歳前後には、肺が炎症を起こすことがよくありました。息をするのも苦しくて、そんな時には、ただじっと身体をくの字にして横になって休むだけでした。「俺も　そんなに長くないな」と、思いました。

　そして、3度目は　70歳になる直前の年でした。帯状疱疹になったり、1年後には、溶連菌感染症になったりしました。

　溶連菌感染症では、夜中に心臓に針金が刺さったような激しい痛み。痛みのために寝返りを打つこともできませんでした。

　病院で検査診断した結果が、溶連菌感染症でした。心臓の4つの弁のうちの2つの弁が、少し血液が逆流しているとのこと。そして、気管支炎、急性結膜炎。歯の痛みも激しくなり、歯医者にも通うことになったのでした。

　体力の衰えを感じて、気力もなくしました。

　3度あった命の危機を、なんとか乗り越えました。生かされた命を、大事にしたいと思います。

　この世に、やり残している事があるのかもしれません。今出来る事に挑戦したいと思います。

　歌手HANZOが唄う『人生の晩歌』が心に響きます。HANZO自らが作詞・作曲した歌です。

… 略 …

私が最後に唄う歌は
君に送りたい　仲間(とも)に送りたい
私が最後に唄う歌は
母に送りたい　父に送りたい
そんな私のちっぽけな　人生の晩歌
そんな私のちっぽけな　人生の晩歌

私なりの人生の晩歌を　私なりに唄いたい。

京都 下鴨神社

あとがき

　私は、自然の残っている身近な場所に、出かけることが好きです。事前に計画を立てることもなく、自然との偶然の出合いが好きです。

　花の季節も好きですが、だんだんと野山が生き生きとしてくる時期などは、たまらなく好きです。　周りを山に囲まれた沼や湖の水面に映る景色は、辺りの景色の美しさを、2倍以上にしてくれます。爽やかな風が水面にさざ波を起こし、太陽の光を受けてキラキラと輝く様は、何も言えない程の美しさがあります。輝きが、生き物のように移動して、消えたりするのです。

　働いている人達を含め、だれもが生活を楽しめる社会が、私は理想だと思っております。

　フォーブスの世界長者番付によると、10億ドル以上の資産を持つ長者（ビリオネア）の中でも最高位層にあたるマイクロソフトCEOのビルゲイツ氏やアマゾンCEOのベゾス氏など62人の資産の合計が、持たざる人達・世界人口の半数（36億人）の総資産を上まわるとのことです。そして、最近のコロナ禍の中でも、ビリオネアの人数や総資産が増え続けているのです。

　富める人達と貧しい人達との貧富の格差は、グローバルな規模でますます拡がっているのです。

　そんな中で、働く貧困層は、若者達を中心に拡がっています。男性・女性による賃金格差の問題もあります。年金生活者や老齢者の貧困の拡大もあります。

　最低賃金を引き上げる課題は大事です。

一日、時給1500円で8時間働くとします。

一日の賃金は、12000円です。

一ヶ月に22日働いた場合でも、賃金は264000円です。実際の手取りは、25万円に届かないでしょう。

　スペインでの週4日、32時間労働制の試み。

　ドイツやフィンランドでの週4日、週休3日制への挑戦。そして、フィンランドのマリン首相の発言、「6時間労働に対して、7〜8時間分の賃金を支払うことは可能だ。」などは、これからの世界を生きる人達に、希望を与えてくれます。これらの制度や発言は、国民が選挙で選んだ与党・政府が取り組んでいることであり、その指導的立場にある人の発言であることに、大きな意味があると思うのです。

働く時間が短くなった時、あなたは仕事以外の時間を、どのように過ごしますか？

日本には、四季による自然の変化があります。私達が生活する身近な場所でも、美しい自然の移り変わりがあります。自然は、いろいろな表情を見せてくれます。私が京都や仙台や福岡などの違う場所に住んでいたならば、違う景色を眺め、自然との対話を楽しんでいたと思います。読者のみなさんも、自然と身近になる生活を、もっと探して楽しんでみてください。

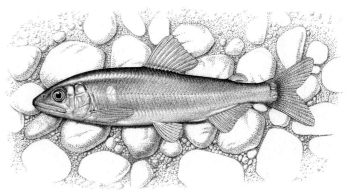

アユ

今回、詩的エッセー35　『風に吹かれて　命尽きるまで』の出版に当たりましては、天地人企画の有馬三郎様、齊藤春夫様に、大変お世話になりました。そして、アートディレクターの中平都紀子様には、装丁や写真・イラスト編集などでお世話になりありがとうございました。

2021年8月31日

浅野　正男

浅野正男（あさのまさお）

1948年、埼玉県小川町の農家に生まれる。
小学校の教師を36年間勤めた。

著書　『心の故郷を訪ねて』（創栄出版、1997年3月）
　　　『蝸牛の家』（童話、近代文芸社、1997年11月）
　　　『ちょっとだけ科学の話22』（天地人企画、2021年5月）

詩的エッセー **35**
風に吹かれて・命尽きるまで
2021年8月31日 発行

著　　　　　者　　浅野正男
編　集　協　力　　天地人企画（代表　有馬三郎）
　　　　　　　　　〒134-0081　東京都江戸川区北葛西4－4－1－202
　　　　　　　　　電話 03－3687－0443
デザイン・レイアウト　中平都紀子
装　　　　　丁　　(有)ビズ
挿　　　　　画　　大沢　金一（草加市在住の挿絵画家 作品集より）
印　刷　・　製　本　　(株)光陽メディア

定価はカバーに記載してあります。